和爱因斯坦一起做实验

光影的秘密世界

[意] 马蒂亚·克里韦利尼 著 [意] 萝塞拉·特里翁费蒂 绘 王旭 译

SPM 南方传媒 新世纪出版社

·广州·

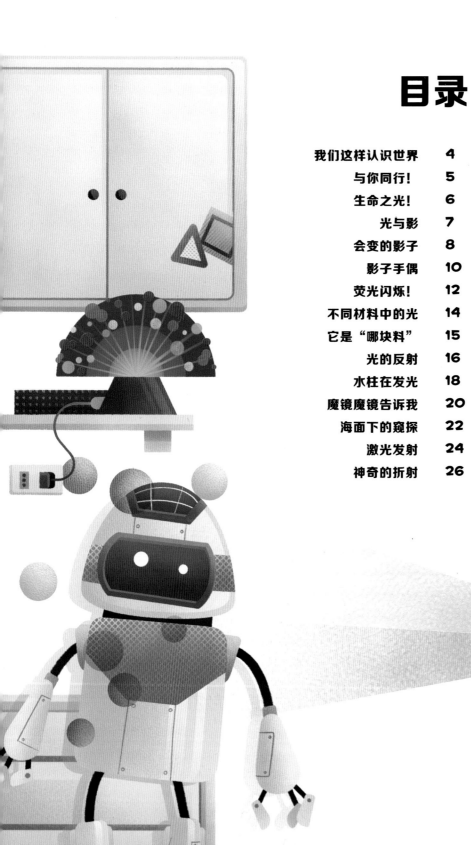

目录

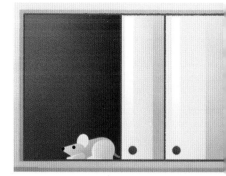
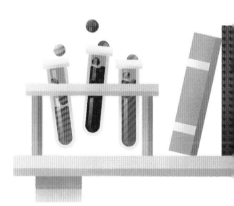

我们这样认识世界

科学研究方法是我们通过**科学知识**来探究周围世界的方法，也是我们已知的研究**世界万物**最可靠的方法。

科学并不是"精确"的代名词，但却可以重复，也就是说，它可以重复出现相同的结果。在同样的初始条件下，我们能预料到**科学实验**会得到相同的结果。科学研究方法具有**可实验性**，我们通过实验、测试和观察得到结果。在这个有趣的过程中，科学家可以充分发挥自己的创造力。

实验性的科学研究方法主要有以下几步：

1. 观察现象，提出问题。
2. 提出假设，即对该现象做出一个可能的解释。
3. 进行实验，检验假设是否正确。
4. 分析结果。
5. 用不同的方法重复实验。
6. 得到结论，创立规则。

与你同行！

我是**机器人格雷格，**属于高级人工智能产品。我有一个正电子大脑，里面却装满了不解……

我是**阿尔伯特·爱因斯坦，**你可以叫我**阿尔伯特教授**。我是一位有趣的科学家，喜欢旅行和户外骑行。我对生活和宇宙的一切事物都充满热情。

我叫**莫妮卡，**爱好旅行和读书，我还非常热衷于钻研厨艺。

四个字：安全第一！

1. 在做任何实验之前，要先仔细阅读所有实验说明，确保所需材料的齐全。

2. 在实验期间，禁止饮食，尤其重要的是严禁把实验用品放进嘴里！这可不是开玩笑，千万不要这样做！

3. 由于实验中你可能会把自己弄脏，尽量换上旧衣服吧！

4. 每次实验后要记得认真洗手哦，有些实验用品可能会危害健康。

5. 对于一些难度较大的实验，为了能够达到理想的实验结果，你可以在成年人的帮助和看护下反复尝试，不要轻言放弃！

6. 在完成实验之后，要清洗所有的工具和容器，并将它们摆放整齐。

7. 垃圾要进行正确的分类，然后投入相应的垃圾桶中。

本书中的一些科学实验需要在成年人的帮助和看护下进行。

生命之光！

光带来了生命、热量和能量。比如正是因为有了光，植物通过光合作用才能生长，太阳能板才能把光能转换成电能。

像光一样快

在真空中，光沿着直线传播，速度接近300000千米/秒！真空中的光速是目前所发现的自然界物体运动的最大速度。

光从太阳到达地球大概需要8分钟，"走"过的距离将近1.5亿千米。

光与影

当把一个不透明的物体放在光源前面时，光源的反向位置就会出现这个物体的**影子**。这是因为光线遇到物体时被挡住了，无法继续传播，而那些没有遇到物体的光线不受影响，继续沿着直线传播。

被**点光源**照亮的物体可以产生**清晰的影子**。

被**面积更大的光源**照亮的物体产生的**影子较为模糊**。

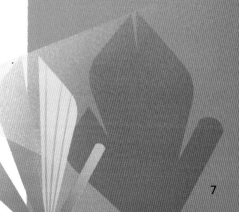

会变的影子

困难等级：

脏乱等级：

时间：10~15分钟

你自己就能完成哟，加油

开始做实验吧：

1 用剪刀从卡纸上剪下自己喜欢的形状，它可以是你想象出来的，也可以是现实生活中真实存在的形状。

2 用透明胶带把竹签固定到所剪下的卡纸上。

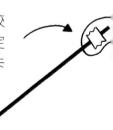

你需要准备：

- 一支手电筒
- 一盏台灯
- 一张卡纸
- 黑暗的房间
- 一把剪刀
- 一根竹签
- 一卷透明胶带

3 把剪好形状的纸板举放在手电筒和墙壁之间。打开手电筒，关掉房间的灯。

4 先改变纸板到手电筒的距离，由近及远——移动纸板，靠近手电筒，远离手电筒。然后，再慢慢改变手电筒照射的方向。观察影子在各种情况下发生的变化。

5 使用台灯代替手电筒，重复这个实验。

发生了什么

手电筒是一种点光源，所以产生的影子更清晰。随着手电筒照射方向的改变，墙上的影子也在发生变化。当用台灯照射纸板时，在墙上产生了半阴影区，影子就变得模糊了。

9

影子手偶

既然你已经了解到影子是如何形成的，并且也知道了使影子更加清晰的最佳条件，那么，试一试只用你的双手来创造出奇妙的"影子手偶"吧。

你需要准备：
- 一支手电筒
- 黑暗的房间

开始做实验吧：

困难等级：
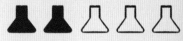
脏乱等级：

时间：**20分钟**

你自己就能完成哟，加油！

狗

大象

① 在第10页和第11页中选择一种动物影子，用手模仿图中的姿势。

公鸡

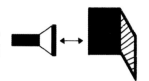

2 在手电筒和墙壁之间移动手部，找到最佳位置，以创造出效果最棒的影子手偶。

3 动一动"小动物"的"嘴巴"和"耳朵"，让它们"活"起来。你还可以模仿动物的叫声，让影子的形象更加栩栩如生！

鸟

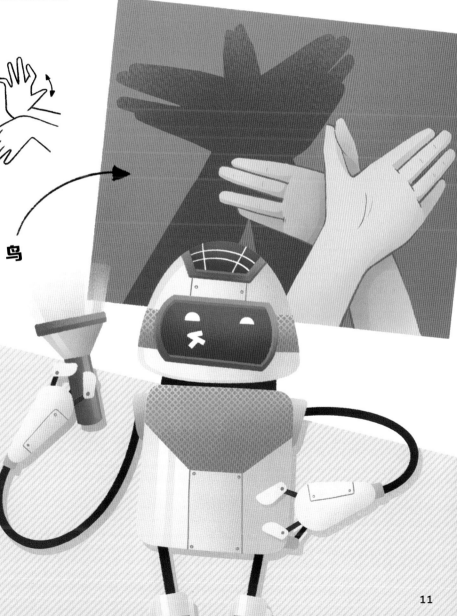

发生了什么

通过移动手在手电筒和墙壁之间的角度和位置，你就能创造出许多不同动物的形状。请你多练习几次，然后跟小伙伴们一起玩儿吧！

荧光闪烁！

在《哈利·波特》丛书中，"荧光闪烁"是一句可以在黑暗中制造光亮的**魔法咒语**。"明亮如昼"可以使魔杖发出像阳光一样强烈的光芒，而**"终极荧光闪烁"**可以产生比基本咒语更强的光。

我的尾部亮起来了！

荧光闪烁！

在生活中，**太阳**是我们最主要的**光源**，但是也有其他物体可以发光，比如蜡烛、灯泡以及在炎热夏夜里飞舞的萤火虫。

所有自身不发光的物体都被称为**非光源物体**，比如桌子和墙壁。月球自身不发光，只能反射太阳光，因此，它也是非光源物体。在我们的日常生活中出现的大多数物体都不能发光。

发光物体

有些非光源物体在**高温**作用下也能够发光。**灯泡**中的灯丝**通电**后温度升高，从而**发出光亮**，就是利用了这种现象。

不同材料中的光

当光线遇到障碍物时，就会改变传播路径，可能发生偏转、减慢传播速度或者被阻挡。

不透明材料可以阻挡光线，也就是说，它们不允许光线穿过。木头、金属、岩石和纸板都属于不透明材料。

艾萨克·牛顿

透明材料允许光线通过，所以我们能透过透明物体，看到它另一侧的事物。空气、水和玻璃都是透明材料。

半透明材料只允许部分光线通过，所以我们看不清楚半透明物体另一侧的事物。磨砂玻璃就是一种半透明材料。

它是"哪块料"

你需要准备：

- 一个塑料瓶
- 一个玻璃杯
- 一个靠垫
- 一本书
- 一张牛皮纸
- 一块便携式镜子
- 一张纸
- 一支铅笔

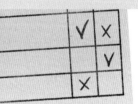

开始做实验吧：

1 把手放到每个实验材料（即左侧列出的前六个物体）的里面或后面。

2 用铅笔和纸记录一下透过这些实验材料能否看到自己的手。

3 把这些实验材料分成不透明、透明和半透明三类。

用同样的方法，再试试身边的其他材料，别忘了把自己的发现记录下来哟。

发生了什么

如果透过物体能够清晰地看到自己的手，那么，这种物体就是透明材料。如果透过物体只能看到手的轮廓，但是看不清楚细节，那么，这种物体就是半透明材料。如果自己的手被物体挡住了，那么，这种物体就是不透明材料。

光的反射

当一束光线遇到障碍物时，可能会发生两种结果：

1.如果障碍物表面非常光滑，像湖面或者镜面一样，那么光线就会改变传播方向，有序地返回，形成清晰的影像。这种现象就叫作光的**反射**。

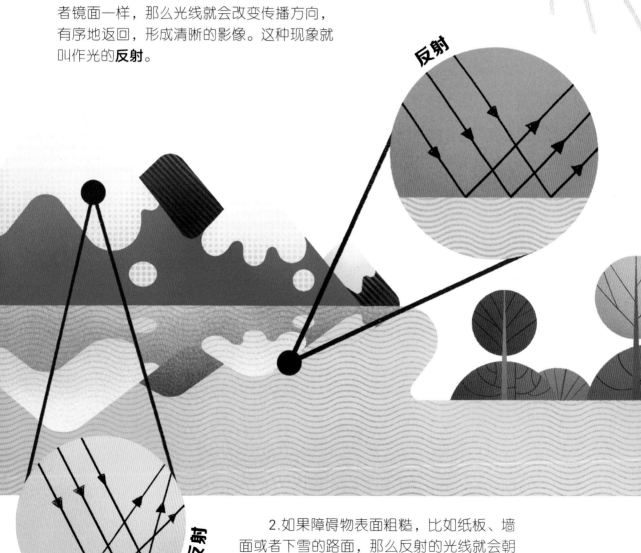

反射

漫反射

2.如果障碍物表面粗糙，比如纸板、墙面或者下雪的路面，那么反射的光线就会朝向各个方向，这种现象就是光的**漫反射**。

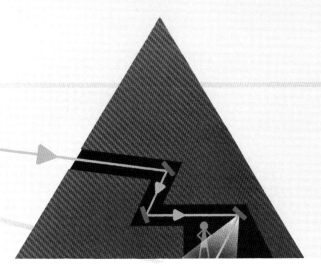

你知道吗

古埃及人发现有些物体的表面可以反射光束，让光发生"反弹"。他们把抛光后的石板当作镜子，制造出了一个非常精巧的系统，通过对太阳光的多次反射，来照亮金字塔内部。

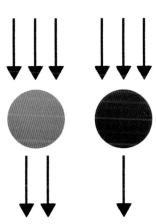

不是所有的光在遇到不透明物体之后，都会被反射或者散射，而是有一部分光线会被物体吸收。如果是浅色物体，它只会吸收一小部分的光线；如果是深色物体，它几乎会吸收全部光线。

科学护眼

当我们在雪地里或者沙滩上时，深色太阳镜镜片可以保护我们的眼睛免受浅色不规则表面造成的刺眼的光的伤害，因为雪地或沙滩的表面会使光线向各个方向散射。

水柱在发光

现在，我们已经能够引导光线穿过微小的纤维，并且根据不同用途，将这种方法运用于生活的方方面面。

光导纤维简称光纤，是一种由玻璃或者塑料制成的非常细的纤维。光线在光纤内壁可以反复反射，弯曲传导，不会传播到光纤以外。

你需要准备：

- 一个碗
- 一个透明塑料瓶
- 一根细的透明塑料管
- 一支手电筒
- 一卷透明胶带
- 一块橡皮泥
- 一块深色的布
- 一把剪刀
- 水
- 一枚图钉
- 黑暗的房间

开始做实验吧：

1 往塑料瓶中加入约四分之三的水。

2 用剪刀在瓶盖中央戳一个洞。

困难等级：

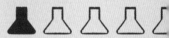

脏乱等级：

时间：5~10分钟

和爸爸妈妈一起做！

3 拧紧瓶盖，将塑料管插入瓶盖的洞中，再用橡皮泥将其密封。

4 用透明胶带把手电筒固定到瓶子底部。

5 用深色的布将塑料瓶包裹起来。

发生了什么

从塑料管中流出的水柱在发光！这是因为光线不能弯曲，而是在塑料管内沿着"之"字形反射，直到被传导至塑料管的出口。

6 把塑料管的一端伸进碗里。

打开手电筒，按图所示的位置放置塑料瓶，然后用图钉刺破瓶子底部，水就会开始沿着塑料管流出。

7

魔镜魔镜告诉我

就像球被抛向地面会反弹一样，光线照射到镜子上之后会发生反射，因此，我们可以在镜子中看到自己的像。

如果镜子表面是完全平整的，那么镜子中的像与实际物体大小相等，但是左右相反。

如果镜面是弯曲的，那么镜中的像就会变形，变形的方式与物体的位置有关，可能变大，可能变小，可能拉长，也可能上下颠倒。

古代的人们把金属物体表面抛光得非常光滑，当作镜子来照自己。今天，我们使用的镜子由玻璃制成，背面镀了一层非常均匀的银。这种镜子在公元1300年左右才出现。

你需要准备：

- 一个A4尺寸的镜面板
- 一辆玩具小汽车

开始做实验吧：

1 把镜面板直立在平整的表面上。

2 把玩具小汽车放到镜面板前。

3 先把镜面板向一面弯曲，然后将其向另一面弯曲。

4 观察小汽车在镜面板中的成像。

你知道吗

金属勺一面内凹，一面外凸，是一个非常适合研究曲面反射的道具。请你观察一下自己在勺子两面的成像，看看发生了怎样的变形。

发生了什么

当镜面板被向内或向外弯曲的时候，它就相当于凹面镜或凸面镜。因此，上面实验中小汽车在镜中的成像会发生变形。

21

海面下的窥探

如果你在潜水艇中，怎样做才能观察到海面上的情况呢？当然是通过潜望镜啦！

潜望镜是一种光学设备。它可以让我们在保持隐蔽的情况下，从不同的观察点探索海面或空中的环境。

制作自己的潜望镜吧！

你需要准备：

- 一个底面是正方形的利乐包装盒
- 一把美工刀或剪刀
- 两块同样大小的小镜子
- 热熔胶或双面胶
- 一支铅笔

开始做实验吧：

1 按照图中所示，用铅笔在包装盒的每一侧面画上切割线，并在上下两端的对应侧面分别画出两个45°角方向的斜线。

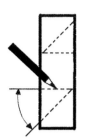

2 用美工刀或剪刀沿所画斜线把盒子挖去两块，形成两面"斜坡"。

3 使用热熔胶（如果你找不到热熔胶，也可以用双面胶来替代）把两面镜子分别粘到两面"斜坡"上，这就是"潜望镜"的上下镜。

4 把"潜望镜"的上镜对准桌子上的物体，现在你可以躲在桌子下面了，看看能从下镜里看到什么。

原理是什么

潜望镜的工作原理是利用光的反射。每面镜子都把光线沿45°角反射出去，与射入镜子的光线角度相同。

镜子

光线

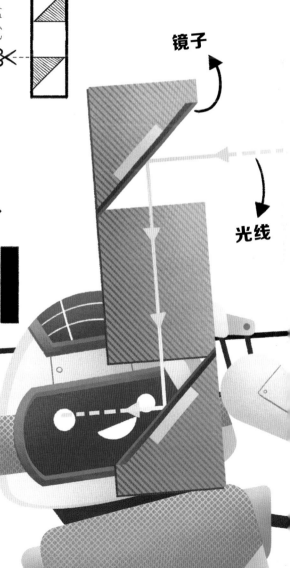

激光发射

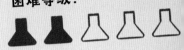

激光器是一种能够产生单色光束的装置，它被广泛运用于非常精确的测量以及外科手术中。让我们一起建造一个激光竞技场，来击中目标吧！

你需要准备：

- 一支激光笔
- 几块小镜子
- 一张硬纸板
- 一支铅笔
- 一把剪刀
- 一卷透明胶带
- 一个圆规

困难等级：

脏乱等级：

时间：20分钟

你自己就能完成哟，加油

开始做实验吧：

1 用铅笔和圆规在硬纸板上画一个直径为5厘米的圆形，将它剪下来作为"靶子"。

2 用透明胶带把激光笔固定到桌子上。

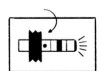

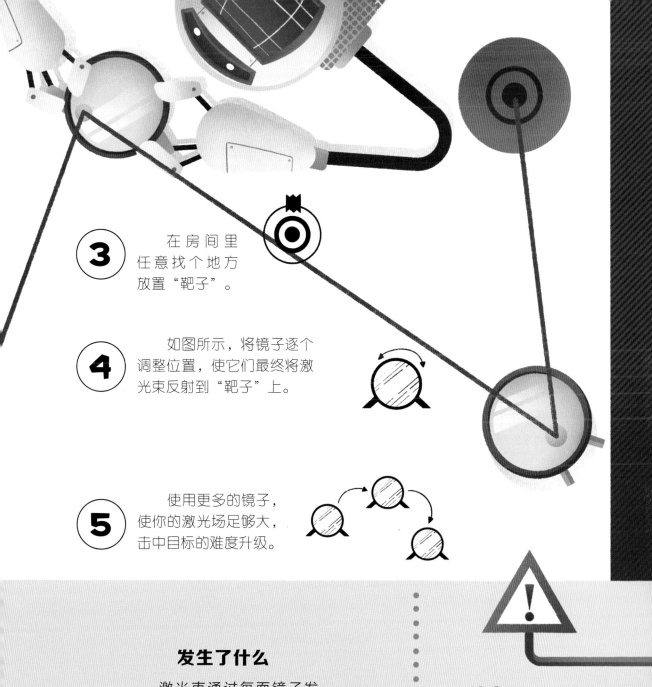

3 在房间里任意找个地方放置"靶子"。

4 如图所示，将镜子逐个调整位置，使它们最终将激光束反射到"靶子"上。

5 使用更多的镜子，使你的激光场足够大，击中目标的难度升级。

发生了什么

激光束通过每面镜子发生反射，最终照射到"靶子"上。请你试着在更大的空间里"搭建"你的激光光路吧，不过要注意安全。

注意！

严禁对准人的脸部照射激光！

神奇的折射

你有过这样的经历吗——想要抓住水下的物体，却因为没有对准目标而脱手。这是因为光从空气射入水中时，我们看到的物体位置与它的实际位置并不相同。

当光通过两种密度不同的透明介质时，比如空气和水，或者空气和玻璃，由于光在两种介质中的传播速度不同，所以光的传播方向也将发生改变。光线在不同介质的交界处传播方向发生变化的现象就叫作**光的折射**。

其实我在这儿呢！

海市蜃楼

海市蜃楼是一种非常奇特的自然现象，它是由光的折射引起的。虽然这方面的经典例子是：人们偶尔会在沙漠中看到水草丰茂的绿洲。不过，在现实生活中，我们更有可能经历的海市蜃楼现象是看到道路上有一个根本不存在的水坑。

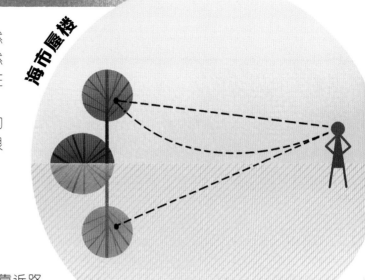

海市蜃楼

在炎热的夏日，靠近路面的空气温度升高，其**密度**低于上方的空气，因此，导致太阳光线发生偏转，形成了这种现象。

入射光线 **反射光线**

折射光线

眼镜的秘密

眼镜镜片也是利用光的折射原理，帮助我们矫正视力的缺陷。

"折断"的铅笔

你需要准备：

- 一个普通玻璃杯
- 水
- 一支铅笔

开始做实验吧：

1 往玻璃杯中加入半杯水。

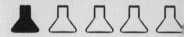

2 把铅笔放在水中，看看发生了什么现象。

发生了什么

铅笔看起来好像被折断了，水下的部分相对于水上的部分来说，似乎发生了位移。这是由于当光线从空气（密度较小）射入水（密度较大）中的时候发生了折射，使得铅笔看起来错位了，实际上并没有。

翻转的箭头

你需要准备：

一张白纸
一支记号笔
一个没有任何装饰的
透明玻璃杯
水

开始做实验吧：

1 如右图所示，用记号笔在白纸上画一个箭头。

2 把准备好的玻璃杯放在这张纸的前面。

3 向玻璃杯中加满水。

4 上下移动玻璃杯，看看箭头发生了什么变化。

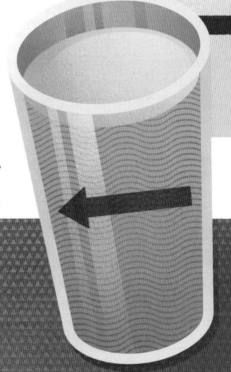

发生了什么

在玻璃杯中装满水之后，箭头看起来好像翻转方向了，这是因为玻璃杯起到了透镜的作用。

牛顿和光

艾萨克·牛顿发现，当一束白光穿过玻璃三棱镜之后，被分成了几种颜色。这种现象叫作**光的色散**。

白光由一系列不同颜色的光组成，经色散后呈红、橙、黄、绿、蓝、靛、紫彩带，这就是可见光谱。

自制彩虹

你需要准备：

- 一个三棱镜
- 一支手电筒
- 一个硬纸筒
- 一张铝箔
- 一把剪刀
- 一卷透明胶带
- 一张白色卡纸
- 黑暗的房间

开始做实验吧：

1

将铝箔盖住硬纸筒的一端并用透明胶带固定，用剪刀在中央划出一条狭缝。

2 把白色卡纸和棱镜依次放到桌子上。

3 在黑暗的房间里，打开手电筒，如图所示放在纸筒中。

4 移动纸筒，让手电光束穿过棱镜照射到白色卡纸上。

发生了什么

你观察到的物理现象叫作光的色散，棱镜把照进来的光分解为不同的颜色。

31

水中七色光

当阳光照射在水滴上的时候，**彩虹**就出现了。水滴起到了棱镜的作用，阳光经过水滴时发生了折射，被分解成光谱。

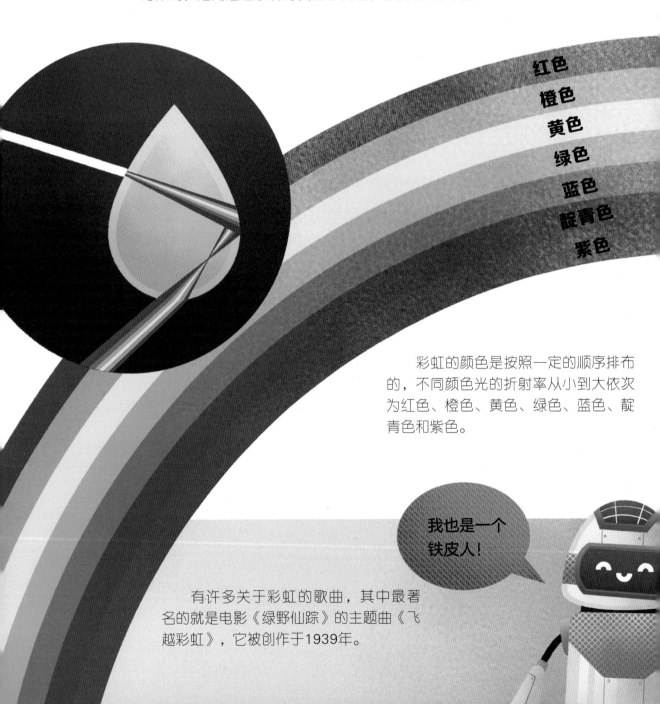

红色
橙色
黄色
绿色
蓝色
靛青色
紫色

彩虹的颜色是按照一定的顺序排布的，不同颜色光的折射率从小到大依次为红色、橙色、黄色、绿色、蓝色、靛青色和紫色。

我也是一个铁皮人！

有许多关于彩虹的歌曲，其中最著名的就是电影《绿野仙踪》的主题曲《飞越彩虹》，它被创作于1939年。

你需要准备：

- 一支手电筒
- 一个大碗
- 水
- 一张白色卡纸
- 一块镜子

开始做实验吧：

1

在大碗里装满水。

2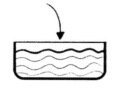

如图所示，把镜子斜放在水中。

3 用手电筒照射镜子。

4 让反射的光束照射到白色卡纸上，看看会发生什么。

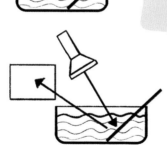
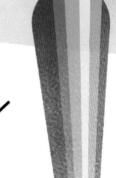

发生了什么

卡纸上出现了一道彩虹。这是由于镜面上反射的白光在穿过水面时会发生折射。构成白光的颜色在不同的角度发生了偏离，照射到纸板不同的位置上，我们就看到了不同的颜色。

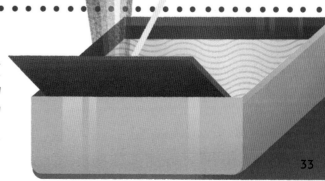

可见光谱之外

我们肉眼能够看到的光在**全部电磁波谱**或者说**全频率电磁波**中只占了一部分，这一部分叫作可见光。

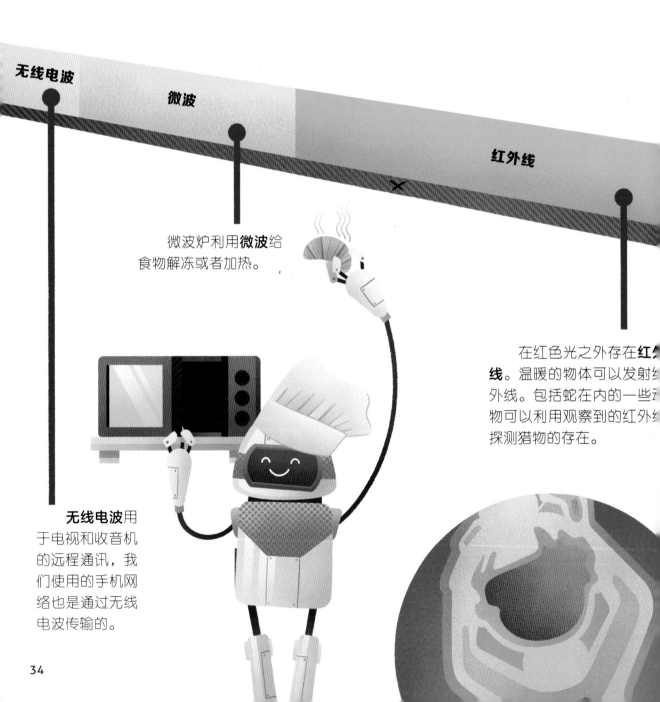

无线电波

微波

红外线

微波炉利用**微波**给食物解冻或者加热。

在红色光之外存在**红外线**。温暖的物体可以发射红外线。包括蛇在内的一些动物可以利用观察到的红外线探测猎物的存在。

无线电波用于电视和收音机的远程通讯，我们使用的手机网络也是通过无线电波传输的。

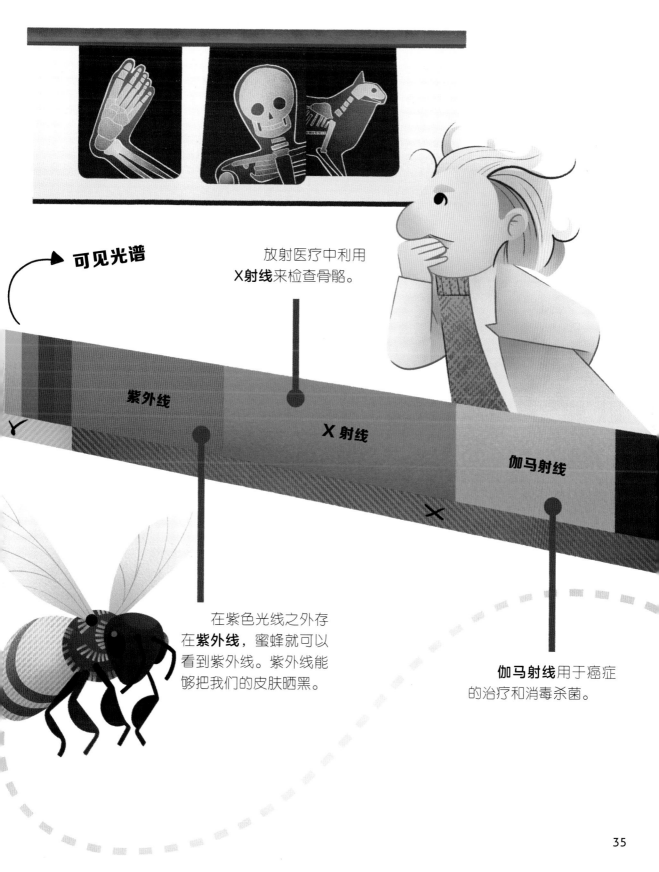

可见光谱

紫外线

X 射线

伽马射线

放射医疗中利用**X射线**来检查骨骼。

在紫色光线之外存在**紫外线**，蜜蜂就可以看到紫外线。紫外线能够把我们的皮肤晒黑。

伽马射线用于癌症的治疗和消毒杀菌。

趣味光谱仪

你需要准备：

- 一个硬纸筒
- 一张光盘
- 一卷透明胶带
- 一张铝箔
- 一把美工刀
- 一把剪刀
- 一支铅笔

我们一起制作新的仪器吧，利用它可以观察到光的不同颜色。这就是光谱仪，它的工作原理也是一种光学现象：**衍射**。

开始做实验吧：

1 如图所示，在纸筒三分之一的位置沿45°角剪出切口（可以先用铅笔画出大概位置）。

2 使用美工刀在切口对面刻出一条长方形的缺口。

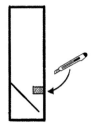

3 将铝箔盖在纸筒上方并用透明胶带固定。

4 使用美工刀在铝箔中间划一条小的扁口。

5 把光盘顺着45°斜切口插入。

6 将铝箔上的扁口对着天空（不要直接对着太阳），通过侧面的缺口进行观察。

发生了什么

当你通过侧面的缺口观察的时候，你能看到在光盘上形成了一道彩虹！光盘上密布着记录数据的环形沟槽，它们之间的距离非常近，可以作为衍射光栅把光分解成不同的颜色。

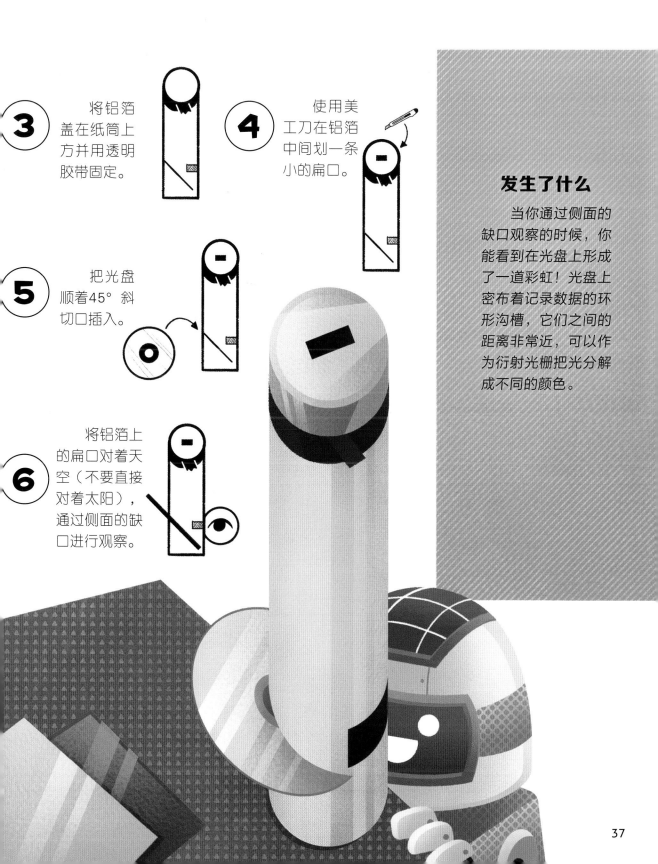

变热的盒子

你需要准备：

- 两个大小相同的带盖纸盒
- 一卷保鲜膜
- 一卷透明胶带
- 一个厨房用温度计
- 一些黑色和白色的颜料
- 一支画笔
- 一把剪刀
- 一块秒表
- 铅笔和白纸

开始做实验吧：

1 分别在两个纸盒的盖子上剪出"窗口"，四周留出2厘米宽的边。

2 在盒子的里面刷上颜色，一个刷成黑色，另一个刷成白色，然后等待颜料晾干。

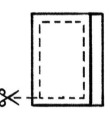

3 用保鲜膜覆盖盒盖的"窗口"，四周使用透明胶带固定。

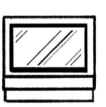

4 把白色盒子放在透明"窗口"面向太阳的地方。

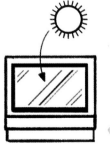

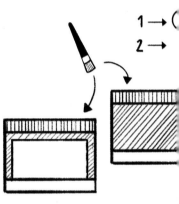

5 在盒子侧面戳一个洞，插入厨房用温度计。

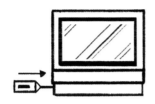

6 每隔30秒记录一次温度，一共记录10次。

7 用黑色盒子重复④、⑤、⑥三个步骤，记录温度变化。

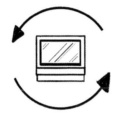

发生了什么

　　虽然一开始两个盒子的温度读数是相似的，但随着时间的推移，黑盒子的温度将高于白盒子的温度。这是因为黑色吸收太阳光并将其转化为热量，而白色则反射太阳光。这也是我们在夏天尽量不穿黑色衣服而更喜欢穿白色衣服的原因！

39

"大有作为" 的红外线

人类可以通过特殊的工具观察到**可见光谱**外的部分。

有一种特殊的摄像机叫作**热成像摄像机**，它可以监测红外线能量，用于在**黑暗**中进行监视。消防员也会利用热成像摄像机，以便在**烟雾弥漫**的环境中寻找出路。

宇航员使用特殊的**望远镜**，可以在红外线和紫外线下观察天空。

红外线用于遥控，可向电视机或者自动门**发射遥控信号**。

发光的手机

困难等级：

脏乱等级：

时间：5分钟

和爸爸妈妈一起做！

你需要准备：

一部手机
一个带有LED灯的遥控器

开始做实验吧：

1 进入一个半暗或完全黑暗的房间，打开手机中的**拍照模式**。

2 把遥控器的LED灯指向手机摄像头。

3 按下遥控器的按键，看看会发生什么。

发生了什么

虽然有些数码相机有阻挡红外线的滤光片，但是大多数相机都可以探测到红外线。当你按下遥控器上的一个按钮时，相机接收到的红外线以可见光的形式出现在手机屏幕上。

美丽夜空房

磷光现象是指某些物质即使不再被直接照明，仍然能持续发光的现象。

我们都知道房间里的"夜光星星"在吸收光之后，仍然可以在黑暗中亮上几分钟。

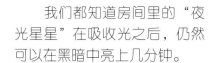

通常情况下，所谓的"夜光"产品都利用了磷光现象。

房间里的星座

你需要准备：

- 一些"夜光星星"
- 一张星座图
- 一支手电筒
- 一支紫外线手电筒

开始做实验吧：

1 打开星座图，选一个星座。

2 根据你选的星座的恒星数量，数出相同数量的"夜光星星"。

3 叫上爸爸妈妈来帮忙吧，将"夜光星星"贴在墙上或天花板上。

4 用手电筒对着"夜光星星"照射10秒钟，关闭手电筒后，记录"夜光星星"持续发光的时间。

5 改用紫外线手电筒对着"夜光星星"照射10秒钟，然后记录"夜光星星"持续发光的时间。

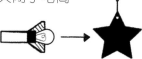

发生了什么

"夜光星星"对可见光和紫外线的吸收是不同的，所以手电筒熄灭后，它们持续发光的时间也不相同。

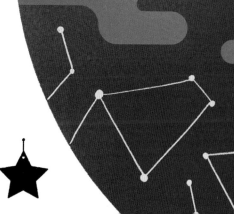

闪闪发光！

荧光是指有些物质在被**激发**后的发光性质，比如说接收**紫外线**的辐射后发光。

磷光现象		
荧光现象		

磷光现象和**荧光现象**都是基于这些材料和物质能够**吸收能量、被激发**并以**可见光**的形式重新**释放**出来的能力。

这两种现象的不同之处在于**发光的时间**：**磷光现象**具有更持久的效果，即使光照停止之后还能持续发光，而**荧光现象**具有即时效果，一旦激发的能量源中断，就会停止发光。

"魔法"荧光笔

困难等级:

脏乱等级:

时间: 20分钟

和爸爸妈妈一起做!

+

你需要准备:

- 一张卡纸
- 一支荧光笔
- 一支紫外线手电筒
- 黑暗的房间

开始做实验吧:

1 用荧光笔在卡纸上任意画一些图案。

2 保持房间黑暗,千万不要开灯哟!

3 打开紫外线手电筒,用它照射卡纸,你看到了什么?

发生了什么

手电筒发出的紫外线射线激发了荧光笔中的荧光物质,通过可见光的形式重新释放出这种能量。

术语表

半透明材料：一部分光能穿过的材料就是半透明材料，我们看不清半透明材料另一侧的东西。

不透明材料：光不能穿过的材料就是不透明材料，我们看不见不透明材料另一侧的东西。

电磁波谱：阳光中含有的所有波段的能量。一部分是可见光谱，包括人眼可以看到的所有颜色的光。另一部分是不可见光谱，比如紫外线和红外线。

光导纤维：简称光纤，是一种由玻璃或者塑料制成的非常细的纤维。光线在光纤内壁可以反复反射，弯曲传导，不会传播到光纤以外。

光的反射：光在传播到不同物质时，在分界面上改变传播方向又返回原来物质中的现象。

光的散射：光通过不均匀介质时一部分光偏离原方向传播的现象。

光的色散：光分散成不同颜色光的现象。彩虹的形成就是这种现象造成的。

光的折射：光束从一种物质照射到另一种不同密度的物质中，方向发生偏离的现象。

光源：自身发光的物体。

磷光现象：一些特定物质暴露在光辐射之后的发光特性。磷光现象与荧光现象的不同之处在于，当外部光源停止照射后，物质还能维持发光一段时间。

漫反射：一束光照射到粗糙表面上，光线被反射到各个方向后散开的现象。

密度：物体的质量和体积的比值。

透明材料：光能穿过的材料就是透明材料，我们可以看见透明材料后的东西。

荧光现象：一些特定物质暴露在光辐射之下时的发光特性，它与磷光现象的不同之处在于，一旦外部能量源中断，它就立刻停止发光。

图书在版编目（CIP）数据

和爱因斯坦一起做实验. 光影的秘密世界 /（意）马
蒂亚·克里韦利尼著；(意) 萝塞拉·特里翁费蒂绘；
王旭译. -- 广州：新世纪出版社，2022.7
　　ISBN 978-7-5583-2907-4

Ⅰ. ①和… Ⅱ. ①马… ②萝… ③王… Ⅲ. ①科学实
验－少儿读物 Ⅳ. ①N33-49

中国版本图书馆CIP数据核字(2021)第103842号

广东省版权局著作权合同登记号 图字：19-2021-102号

Let's Experiment！ Light and Color
Illustrations by Rossella Trionfetti
Text by Fosforo

White Star Kids® is a registered trademark property of White
Star s.r.l.

© 2020 White Star s.r.l.
Piazzale Luigi Cadorna, 6 - 20123 Milan, Italy
www.whitestar.it

Translation and editing: TperTradurre, Rome, Italy
Editing: Michele Suchomel-Casey

本书简体中文版经由中华版权代理总公司授予北京广版新世纪文化传媒有限公司

出 版 人：陈少波　　　责任编辑：刘　璇　　　责任校对：木　青
美术编辑：周晓冰　　　封面设计：陆　拾

和爱因斯坦一起做实验: 光影的秘密世界
HE AIYINSITAN YIQI ZUO SHIYAN: GUANG YING DE MIMI SHIJIE
[意]马蒂亚·克里韦利尼 著　　　　　　　　[意]萝塞拉·特里翁费蒂 绘
王旭 译

出版发行 南方传媒 新世纪出版社（广州市大沙头四马路10号）

经　　销	全国新华书店	印　　刷	当纳利（广东）印务有限公司
开　　本	787 mm×1092 mm　1/16	印　　张	3
字　　数	35千	版　　次	2022年7月第1版
印　　次	2022年7月第1次印刷	书　　号	ISBN 978-7-5583-2907-4
定　　价	32.00元		